Help gyda

Gwaith Cartref

Mathemateg
... y pethau pwysig

Mathematics ... the essentials

Helo, fy enw i ydy Cati. Cat i'm ffrindiau!
Hello, my name is Cati. My friends call me Cat!

... a fi ydy Decimws - Dec i'm ffrindiau!
... and I'm Decimus. My friends call me Dec!

Rydyn ni yma i'ch helpu i wella eich mathemateg! Ewch ati gam wrth gam a pheidiwch â cheisio gwneud gormod ar yr un tro.
We are here to help you to improve your maths! Start at the beginning and don't do too much in one go.

Dydy popeth yma ddim yn rhwydd - bydd rhai tudalennau efallai yn anodd - ond rydyn ni wedi rhoi'r atebion yng nghefn y llyfr rhag ofn! Gwnewch eich gorau i ateb y cwestiwn cyn edrych i weld beth ydy'r ateb. Byddwch wedi gwneud llawer o'r gwaith yma yn yr ysgol. Hen dro na fyddech chi wedi gwrando mwy ... POB LWC!

It won't be easy all the time - some pages can be tricky - but we've given you the answers in case you get really stuck. No peeping though! You will recognise a lot of this from the work you do at school. Now you wish you'd paid more attention ... GOOD LUCK!

Ysgrifenwyd gan Nina Filipek

Dylunio gan Dan Green

Addasiad Cymraeg gan Catrin Roberts, Fflur Rhys a Glyn Saunders Jones

Golygwyd gan Robin Bateman, Hanna Medi Merrigan ac Eirian Jones

www.atebol.com

Gwerth rhifau

Number values

Ysgrifennwch y rhifau hyn mewn geiriau. Write these numbers in words.

Er enghraifft: For example:

321,857 = tri chant a dau ddeg un mil, wyth cant a phum deg saith

three hundred and twenty-one thousand, eight hundred and fifty-seven

a. 53 _____

b. 653 _____

c. 1653 _____

ch. 21,653 _____

d. 721,653 _____

Ysgrifennwch y rhifau hyn fel rhifolion. Write these numbers as numerals.

a. Dwy fil, tri chant a phedwar
Two thousand, three hundred and four _____

b. Naw mil, cant ac wyth deg
Nine thousand, one hundred and eighty _____

c. Un deg un mil, tri chant a saith deg chwech
Eleven thousand, three hundred and seventy-six _____

ch. Pum deg mil, chwe chant a phedwar
Fifty thousand, six hundred and four _____

d. Dau gant ac un mil, wyth cant a naw deg
Two hundred and one thousand, eight hundred and ninety _____

Rhowch y rhifau yma mewn trefn, o'r lleiaf i'r mwyaf.
Order these numbers from the smallest to the biggest.

a. 7436, 5345, 4201, 6032 _____

b. 5642, 5386, 5740, 5900 _____

c. 6945, 6201, 6001, 6389 _____

FFAITH
I drefnu'r digidau, mae'n rhaid dechrau o'r chwith bob tro.

GET IT? To order the digits, start from the left each time.

Wrth drefnu degolion, gall fod o gymorth i'w gosod o dan ei gilydd.

When you order decimal numbers, it can help if you line them up underneath each other.

Er enghraifft: For example:

0.60

0.06

Mae 0.60 yn fwy na 0.06. 0.60 is bigger than 0.06

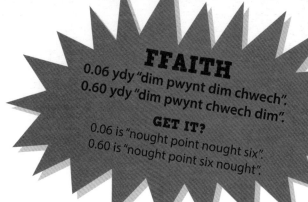

Trefnwch y degolion yma o'r lleiaf i'r mwyaf.
Order these decimals from the smallest to the biggest.

a. 0.01, 0.90, 0.59, 0.73 _____

b. 0.10, 0.05, 0.21, 0.09 _____

Cwblhewch y llinell rif hon gyda rhifau negatif. Complete this number line with negative numbers.

-10   -8 -7   -5 -4   -1 0 1 2 3 4 5 6 7 8 9 10

Trefnwch y rhifau hyn fel y bydden nhw'n ymddangos ar linell rif.
Order these numbers as they would appear on the number line.

a. 9, 10, -1, -7, -3, -10 _____

b. 7, -7, 4, -2, -1, 9 _____

c. 5, 0, -1, 1, -8, -4 _____

Adio a thynnu

Addition and subtraction

Adiwch yr unedau yn gyntaf, yna'r degau, yna'r cannoedd ac yn olaf y miloedd.

Add the units first, then add the tens, then the hundreds and finally the thousands.

Cofiwch gario digidau i'r golofn nesaf.

Remember to carry digits over to the correct columns.

Er enghraifft:
For example:

M	C	D	U
Th	H	T	U
1	4	5	5
+	2	3	5
1	6	9	0
		1	

$5 + 5 = 10$ felly rhaid cario'r deg i'r golofn degau.

so carry the ten into the tens column.

Adiwch y rhifau hyn. Add these numbers.

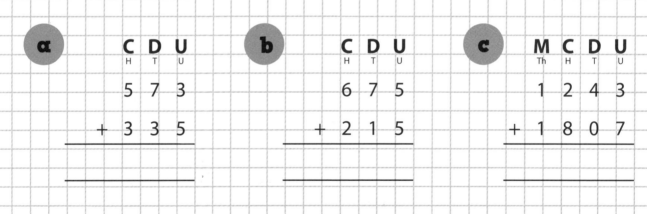

a

C	D	U
H	T	U
5	7	3
+ 3	3	5

b

C	D	U
H	T	U
6	7	5
+ 2	1	5

c

M	C	D	U
Th	H	T	U
1	2	4	3
+ 1	8	0	7

ch

M	C	D	U
Th	H	T	U
2	4	7	2
+ 1	1	5	5

d

M	C	D	U
Th	H	T	U
6	0	3	4
+ 1	2	6	5

dd

M	C	D	U
Th	H	T	U
5	1	4	2
+ 1	3	6	8

Tynnwch yr unedau yn gyntaf, yna tynnwch y degau, cannoedd ac yn olaf y miloedd.
Subtract the units first, then subtract the tens, hundreds and finally the thousands.

Os nad oes gennych ddigon o unedau, rhaid newid (neu fenthyg) deg am 10 uned.
Os nad oes gennych ddigon o ddegau, newidiwch gant am 10 o'r degau. Os nad oes gennych ddigon o gannoedd, newidiwch fil am 10 cant.

Er enghraifft:
For example:

```
    M   C   D   U
    Th  H   T   U
    0   15  12  1
    X̷   6̷   3̷   2
  −     7   4   5
        8   8   7
```

If you don't have enough units, exchange (or borrow) a ten for 10 units. If you don't have enough tens, exchange a hundred for 10 tens. If you don't have enough hundreds, exchange a thousand for 10 hundreds.

Tynnwch y rhifau hyn. Subtract these numbers.

a

```
    C   D   U
    H   T   U
    6   4   3
  − 3   5   4
```

b

```
    C   D   U
    H   T   U
    6   7   2
  − 2   2   4
```

c

```
    M   C   D   U
    Th  H   T   U
    1   2   9   0
  −     7   2   7
```

ch

```
    M   C   D   U
    Th  H   T   U
    2   2   8   9
  − 1   1   9   5
```

d

```
    M   C   D   U
    Th  H   T   U
    3   7   7   7
  − 1   2   7   5
```

dd

```
    M   C   D   U
    Th  H   T   U
    4   0   2   4
  − 1   1   9   5
```

FFAITH
Dechreuwch o'r dde bob tro. Gallwch newid neu fenthyg o'r colofnau i'r chwith.
1 deg = 10 uned
1 cant = 10 deg
1 mil = 10 cant

GET IT? Start from the right each time. You can exchange or borrow from the columns to the left.
1 ten = 10 units
1 hundred = 10 tens
1 thousand = 10 hundreds

Siapiau

Shapes

Dysgwch enwau'r siapiau 2-ddimensiwn (2-D) yma.
Learn the names of these 2-dimensional (2-D) shapes.

Lluniwch linell cymesuredd pob siâp.
Can you draw lines of symmetry on each shape?

Paralelogram – ochrau cyferbyn yn gyfartal ac yn baralel.

Parallelogram – opposite sides are equal and parallel

Trapesiwm – 2 ochr yn baralel.

Trapezium – 2 sides are parallel

Sgwâr – 4 ochr yn gyfartal, a 4 ongl sgwâr.

Square – 4 sides are equal, and 4 right angles

Petryal – ochrau cyferbyn yn gyfartal, 4 ongl sgwâr.

Rectangle – opposite sides are equal, 4 right angles

Pentagon rheolaidd – 5 ochr gyfartal, 5 ongl gyfartal.

Regular pentagon – 5 equal sides, 5 equal angles

Hecsagon rheolaidd – 6 ochr gyfartal, 6 ongl gyfartal.

Regular hexagon – 6 equal sides, 6 equal angles

Rhombws – 4 ochr gyfartal, ochrau cyferbyn yn baralel.

Rhombus – 4 equal sides, opposite sides are parallel

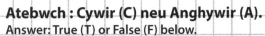

Barcut – Ochrau cyfagos yn gyfartal, dim ochr yn baralel.

Kite – adjacent sides are equal, no sides are parallel

Pedrochr ydy siâp gyda phedair ochr.

A quadrilateral is a shape that has four sides.

Atebwch : Cywir (C) neu Anghywir (A).
Answer: True (T) or False (F) below.

1. Mae gan sgwâr 4 ochr gyfartal a 4 ongl gyfartal. ☐
   A square has 4 equal sides and 4 equal angles.

2. Mae gan betryal ochrau cyferbyn cyfartal. ☐
   A rectangle has equal opposite sides.

3. Mae sgwâr yn siâp pedrochr. ☐
   A square is a quadrilateral.

4. Mae gan drapesiwm 1 llinell cymesuredd. ☐
   A trapezium has 1 line of symmetry.

5. Mae gan betryal 4 llinell cymesuredd. ☐
   A rectangle has 4 lines of symmetry.

Dysgwch enwau'r siapiau 3-dimensiwn (3-D) yma.
Learn the names of these 3-dimensional (3-D) shapes.

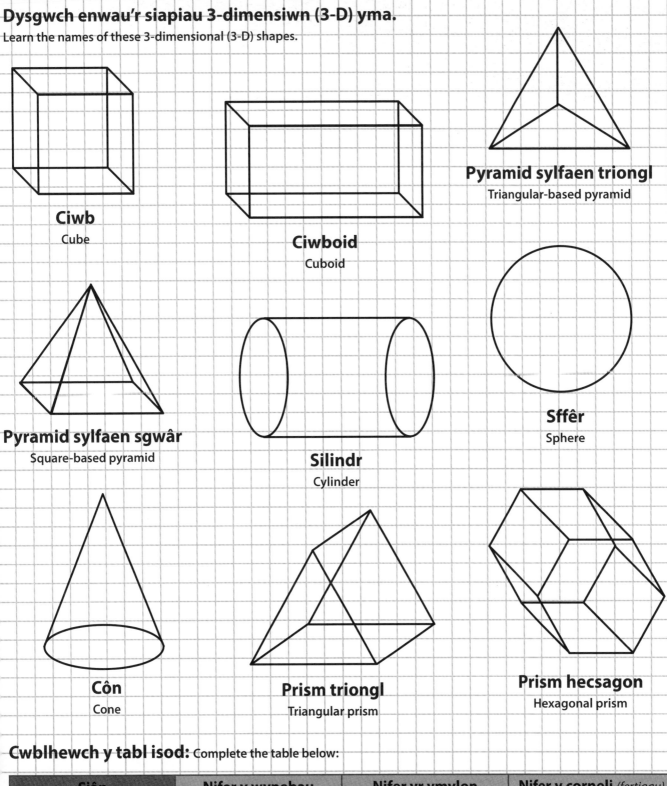

Ciwb
Cube

Ciwboid
Cuboid

Pyramid sylfaen triongl
Triangular-based pyramid

Pyramid sylfaen sgwâr
Square-based pyramid

Silindr
Cylinder

Sffêr
Sphere

Côn
Cone

Prism triongl
Triangular prism

Prism hecsagon
Hexagonal prism

Cwblhewch y tabl isod: Complete the table below:

Siâp Shape	Nifer y wynebau Number of faces	Nifer yr ymylon Number of edges	Nifer y corneli *(fertigau)* Number of corners *(vertices)*
Ciwb Cube			
Pyramid sylfaen sgwâr Square-based pyramid			
Prism triongl Triangular prism			
Silindr Cylinder			

7

Lluosrifau a ffactorau

Multiples and factors

Lluosrif ydy'r rhif a gewch wrth luosi un rhif ag un arall, er enghraifft lluosrifau 5 ydy 5, 10, 15, 20, 25 ac ati.

A **multiple** is the number you get when you multiply one number with another number, for example the multiples of 5 are 5, 10, 15, 20, 25, etc.

Cyfrifwch fesul 3: Count in 3s:

3 — 6 — ◯ — 12 — ◯ — ◯ — 21 — ◯ — 27 — ◯

Cyfrifwch fesul 4: Count in 4s:

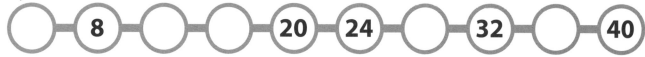

◯ — 8 — ◯ — ◯ — 20 — 24 — ◯ — 32 — ◯ — 40

Cyfrifwch fesul 6: Count in 6s:

6 — 12 — ◯ — 24 — ◯ — 36 — ◯ — 48 — ◯ — 60

Cyfrifwch fesul 8: Count in 8s:

8 — 16 — ◯ — ◯ — 40 — 48 — ◯ — ◯ — 72 — 80

Rhowch gylch o amgylch y rhifau sy'n lluosrifau 3. Pa ddau rif sydd hefyd yn lluosrif 6?

Circle the numbers that are multiples of 3. Which two numbers are also multiples of 6?

32 36 40 9 30 27 21

Rhowch gylch o amgylch y rhifau sy'n lluosrifau 4. Pa dri rhif sydd hefyd yn lluosrif 8?

Circle the numbers that are multiples of 4. Which three numbers are also multiples of 8?

24 40 80 28 46 15 36

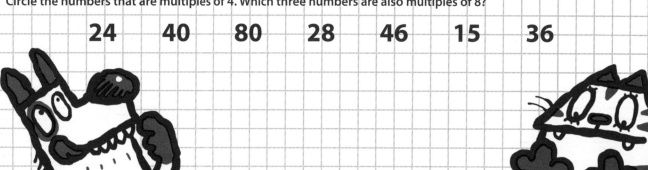

Ffactor ydy rhif sy'n rhannu yn union (heb unrhyw rif dros ben) i rif arall, er enghraifft mae 3 yn ffactor o 6, 9 a 12, ac ati.

A **factor** is a number that will divide evenly (without a remainder) into another number, for example 3 is a factor of 6, 9 and 12, etc.

Darganfyddwch holl ffactorau 36:
Find all the factors of 36:

1 x 36

2 x 18

3 x ___

4 x ___

6 x ___

Darganfyddwch holl ffactorau 24:
Find all the factors of 24:

1 x 24

2 x ___

3 x ___

4 x ___

Gallwn rannu **rhif cysefin** dim ond ag 1 neu'r rhif ei hun, e.e. mae 3 yn rhif cysefin.

A **prime number** is only divisible by 1 and itself, eg 3 is a prime number.

Pa rai o'r rhain sy'n rhifau cysefin? Rhowch gylch o'u hamgylch.

Which of these are prime numbers? Circle them.

| 11 | 15 | 5 | 13 | 7 | 10 | 9 | 12 |

Darganfyddwch pa rifau sydd ar goll.

Work out what the missing numbers are.

Er enghraifft:
For example:

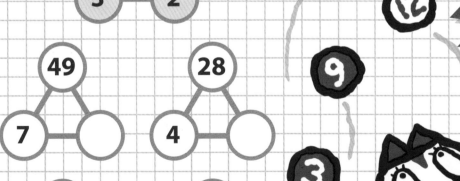

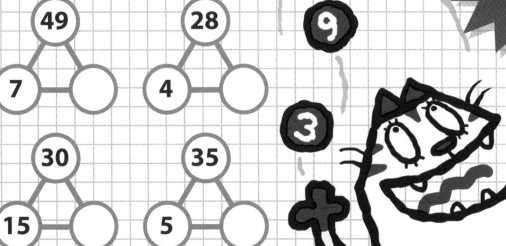

FFAITH

eilrif x eilrif = eilrif
odrif x odrif = odrif
odrif x eilrif = eilrif

GET IT?

even x even = even
odd x odd = odd
odd x even = even

Rhannu a lluosi

Division and multiplication

Cwblhewch y grid lluosi. Complete the multiplication grid.

I'ch helpu, mae'r ateb cyntaf wedi'i wneud i chi.
The first answer is done to get you started.

X	7	5	6	2
3	21			
6				
8				
4				

FFAITH
Wrth eu lluosi mae'r rhifau yn mynd yn fwy; wrth eu rhannu mae'r rhifau yn mynd yn llai.

GET IT?
When we multiply the numbers get bigger; when we divide the numbers get smaller.

Lluosi ydy **gwrthwyneb** rhannu.
Multiplication and division are **opposites**.

Er enghraifft: For example:
Mae 8 x 5 = 40, felly mae/so **40 ÷ 8 = 5 a**/and **40 ÷ 5 = 8**

Ysgrifennwch ddwy sym rhannu sy'n cyfateb i bob un lluosiad.
Write two divisions to match each multiplication.

5 x 6 = 30

30 ÷ 6 = 5

30 ÷ ___ = ___

5 x 11 = 55

55 ÷ ___ = ___

55 ÷ ___ = ___

7 x 4 = 28

28 ÷ ___ = ___

28 ÷ ___ = ___

8 x 6 = 48

48 ÷ ___ = ___

48 ÷ ___ = ___

Mae rhannu fel **tynnu rhif dro ar ôl tro**.

Division is like **repeated subtraction**.

Er enghraifft: For example:

Mae 55 ÷ 11 = 5 yr un peth â: 55 – 11 – 11 – 11 – 11 – 11

55 ÷ 11 = 5 is the same as: **55 – 11 – 11 – 11 – 11 – 11**

Gwnewch y symiau rhannu hyn. Work out these divisions.

$30 ÷ 5 = \underline{\quad}$

30 –

$70 ÷ 10 = \underline{\quad}$

70 –

$56 ÷ 7 = \underline{\quad}$

56 –

Gallwch ddarganfod ateb sym rhannu drwy dynnu rhif dro ar ôl tro ar linell rif.

You can work out divisions using repeated subtraction on a number line.

Er enghraifft: For example:

$12 ÷ 3 = \underline{\quad 4 \quad}$

Ceisiwch wneud hyn eich hunan. Try it for yourself.

$15 ÷ 3 = \underline{\quad}$

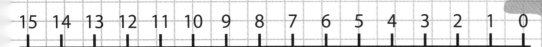

$20 ÷ 5 = \underline{\quad}$

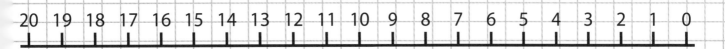

Perimedr ac arwynebedd

Perimeter and area

Perimedr ydy'r pellter o amgylch ochrau siâp. The **perimeter** is the distance around the edges of a shape.

Darganfyddwch berimedr y siapiau hyn. Find the perimeter of these shapes.

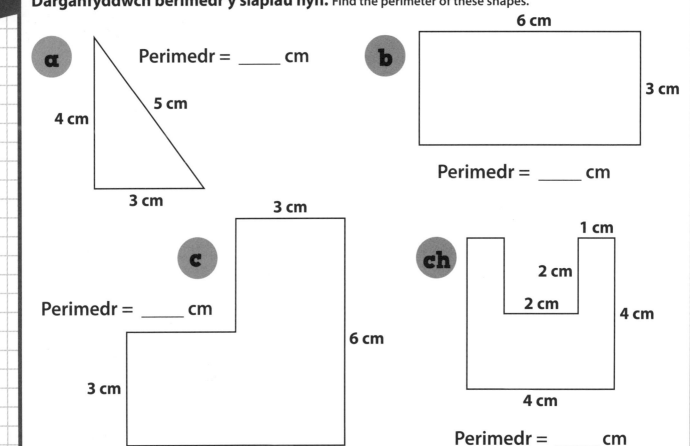

a Perimedr = _____ cm
4 cm
5 cm
3 cm

b 6 cm
3 cm
Perimedr = _____ cm

c 3 cm
Perimedr = _____ cm
6 cm
3 cm
6 cm

ch 1 cm
2 cm
2 cm
4 cm
4 cm
Perimedr = _____ cm

Mesurwch y siapiau hyn i ddarganfod eu perimedr. Measure these shapes and find the perimeter.

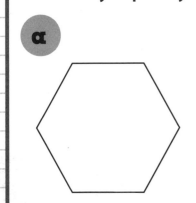

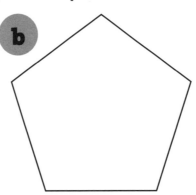

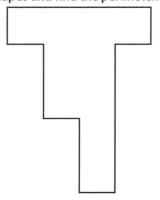

a Perimedr = _____ cm   **b** Perimedr = _____ cm   **c** Perimedr = _____ cm

Arwynebedd ydy mesuriad y gofod sydd mewn siâp.
I ddarganfod arwynebedd y siâp hwn lluoswch yr hyd gyda'r lled.

The **area** is the measurement of the space inside the shape.
To find the area of a shape you multiply the length by the width.

4 cm

2 cm

Er enghraifft:
Mae gan y petryal hwn arwynebedd o 8 cm².

For example:
This rectangle has an area of 8 cm².

FFAITH
Arwynebedd = hyd x lled
Felly 4 x 2 = 8 cm².

GET IT?
Area = length x width
So, 4 x 2 = 8 cm².

Darganfyddwch arwynebedd y siapiau hyn. Find the area of these shapes.

Efallai bydd rhaid i chi rannu siapiau cymhleth yn betryalau i gyfrifo'r arwynebedd.

You might have to divide complex shapes into rectangles to work out the area.

a

5 cm

15 cm

b

20 cm

8 cm

c

5 cm

10 cm

5 cm

CWESTIWN:
Sut mae darganfod arwynebedd y triongl hwn?

QUESTION:
How do you find the area of this triangle?

2 cm

3 cm

ch

8 cm

4 cm

4 cm

8 cm

2 cm

ATEB:
Darganfyddwch arwynebedd y petryal ac yna hanerwch yr ateb. Hawdd!

ANSWER: Find the area of the rectangle and then halve your answer. EASY!

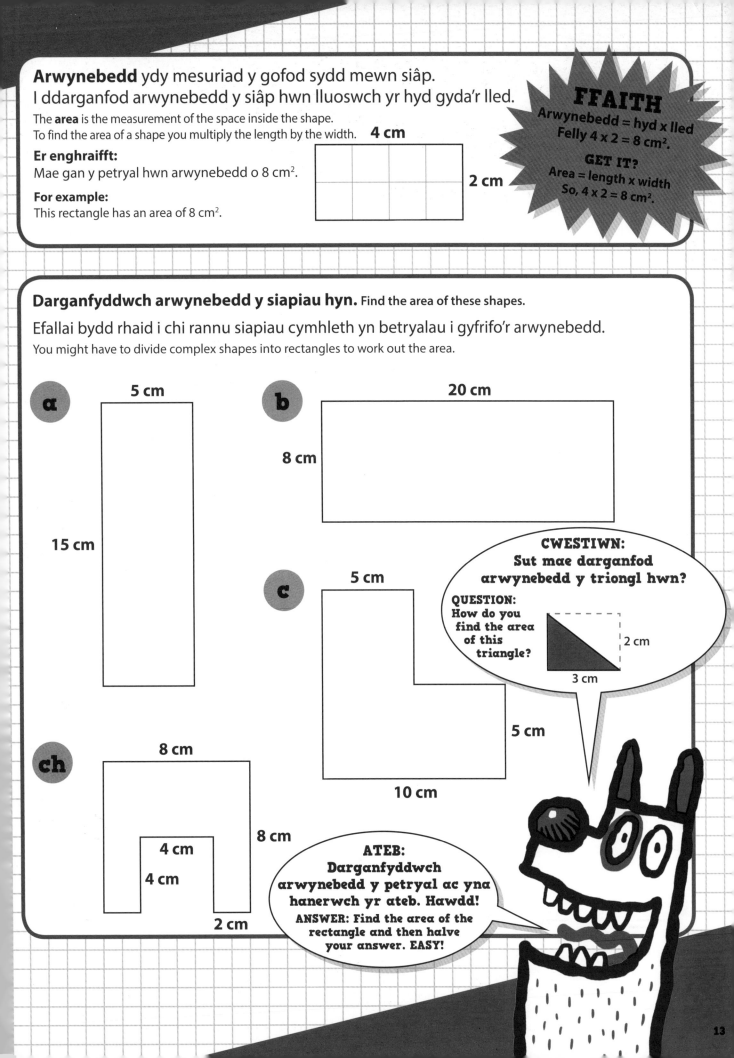

13

Ffracsiynau a chanrannau

Fractions and percentages

Mae $\frac{1}{4}$ yn golygu 1 rhan o 4 rhan gyfartal.

$\frac{1}{4}$ means 1 part out of 4 equal parts.

Mae $\frac{3}{4}$ yn golygu 3 rhan o 4 rhan gyfartal.

$\frac{3}{4}$ means 3 parts out of 4 equal parts.

Pa ffracsiwn o'r siapiau hyn sydd wedi'i liwio? What fraction of these shapes is shaded?

a

b

c

Gallwch **symleiddio** ffracsiwn os allwch chi rannu'r rhif ar y top a'r rhif ar y gwaelod gyda'r un ffactor.

You can **simplify** fractions if you can divide the top number and the bottom number by the same factor.

Er enghraifft: For example:

$$\frac{2}{6} = \frac{1}{3}$$

Rhannwch y rhifiadur
Divide the numerator

$2 \div 2 = 1$

Rhannwch yr enwadur
Divide the denominator

$6 \div 2 = 3$

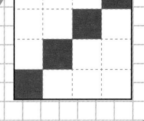

Rhifiadur ydy enw'r rhif ar y top. Enwadur ydy'r enw ar y gwaelod.

The top number is called the numerator.
The bottom number is called the denominator.

Symleiddiwch y ffracsiynau hyn: Simplify these fractions:

a. $\frac{4}{10} = $ ——

b. $\frac{3}{6} = $ ——

c. $\frac{8}{16} = $ ——

ch. $\frac{4}{16} = $ ——

d. $\frac{5}{10} = $ ——

dd. $\frac{2}{10} = $ ——

e. $\frac{3}{12} = $ ——

f. $\frac{4}{12} = $ ——

FFAITH GET IT?

Mae $\frac{6}{6}$ yn rhif cyfan.   Mae $\frac{10}{10}$ yn rhif cyfan.   Mae $\frac{12}{12}$ yn rhif cyfan.

$\frac{6}{6}$ is one whole. $\frac{10}{10}$ is one whole. $\frac{12}{12}$ is one whole.

Mae **canran** yn rhan o gant. A **percentage** is a part of a hundred.

Dysgwch y ffracsiynau hyn a'r canrannau sy'n cyfateb. Learn these fraction and percentage equivalents.

10% neu $\frac{1}{10}$									
20% neu $\frac{1}{5}$									
25% neu $\frac{1}{4}$									
50% neu $\frac{1}{2}$									
100% neu 1 cyfan									

Darganfyddwch yr atebion. Work out the answers.

a. $\frac{1}{2}$ o 50 = ____

b. 50% o 30 = ____

c. $\frac{1}{4}$ o 4 = ____

ch. 25% o 8 = ____

d. $\frac{1}{5}$ o £2.50 = ____c

dd. 20% o £5 = £____

e. $\frac{2}{5}$ o 25p = ____c

f. 40% o 30p = ____c

ff. 10% o £4 = ____c

g. $\frac{1}{10}$ o £8 = ____c

Ffracsiynau

Fractions

Lliwiwch $\frac{1}{4}$ o'r cylch yma'n goch.

Lliwiwch $\frac{1}{2}$ o'r cylch yma'n las.

Beth ydy cyfanswm y ffracsiwn sydd wedi'i liwio?

What is the total fraction coloured?

Pa un ydy'r mwyaf? Which is bigger?

Darn sy'n $\frac{2}{3}$ neu $\frac{3}{4}$ o'r pizza?

Lliwiwch y pizza i ddarganfod yr ateb.
Colour the pizza to work it out.

Pa un ydy'r mwyaf?

Which is bigger?

a. $\frac{5}{8}$ neu $\frac{1}{4}$? _____

b. $\frac{3}{8}$ neu $\frac{3}{4}$? _____

c. $\frac{4}{12}$ neu $\frac{4}{6}$? _____

ch. $\frac{5}{12}$ neu $\frac{2}{3}$? _____

d. $\frac{4}{6}$ neu $\frac{1}{3}$? _____

Lluniwch ffracsiynau pizza i'ch helpu.
Draw fraction pizzas to help you!

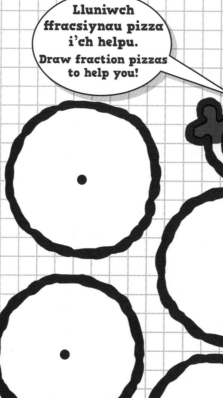

FFAITH
Mae ffracsiwn yn un rhan gyfartal o'r cyfan.

GET IT?
A **fraction** is an equal part of a whole.

Waw!

Wps!

Gwych!

O, na!

Cŵl!

Hawdd!

Bril!

Oce!

O, naaa!

Dim chwys!

Grêt

Hen dro!

Ffantastig! ✔

Bendigedig! ✔

Hwreee!

Ardderchog! ✔

Wiced!

O! diar!

Ffab!

Gwych!

Twt lol!

Ti'n seren!

Rhagorol!

Llongyfarchiadau! ✔

Dim problem!

Hawdd!

Bril!

Gwych!

Waw! Wps! Gwych! O, na!

Cŵl! Hawdd! Bril! Oce!

O, naaa! Dim chwys! Grêt Hen dro!

Ffantastig! ✓ Bendigedig! ✓ Hwreee! Ardderchog! ✓

Wiced! O! diar! Ffab! Gwych!

Twt lol! Ti'n seren! Rhagorol! Llongyfarchiadau! ✓

Dim problem! Hawdd! Bril! Gwych!

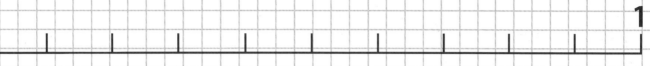
Ysgrifennwch y ffracsiynau hyn yn y lle cywir ar y llinell rif isod.

Write these fractions in the correct place on the number line below.

0 |—————————————————————————| **1**

$\frac{1}{2}$ $\frac{1}{5}$ $\frac{10}{10}$ $\frac{1}{10}$ $\frac{7}{10}$ $\frac{2}{5}$ $\frac{3}{10}$ $\frac{4}{5}$ $\frac{5}{10}$

Pa ddau ffracsiwn sy'n gywerth (h.y, gyda'r un gwerth)? Which two fractions have the same value?

Tynnwch linell i gysylltu'r ffracsiynau cywerth. Join the equivalent fractions with a line.

$\frac{2}{3}$ $\frac{2}{4}$ $\frac{3}{12}$ $\frac{3}{9}$

$\frac{4}{6}$ $\frac{1}{4}$ $\frac{1}{3}$ $\frac{1}{2}$

Rhowch y ffracsiynau hyn yn eu trefn, o'r lleiaf i'r mwyaf.

Order these fractions from the smallest to the biggest.

$\frac{1}{2}$ $\frac{1}{4}$ $\frac{3}{4}$ $\frac{4}{10}$

Be ddywedodd un ffracsiwn wrth y llall? "Ti ddim yn gwybod ei hanner hi!"

What did one fraction say to the other fraction? "You don't know the half of it!"

◯ — ◯ — ◯ — ◯

Y ffracsiwn lleiaf
Smallest fraction

Y ffracsiwn mwyaf
Biggest fraction

Onglau a thrionglau

Angles and triangles

Ongl ydy cylchdro o amgylch pwynt.
Gallwn fesur ongl drwy ddefnyddio onglydd.

An **angle** is a rotation around a point. We can measure an angle using a protractor.

Mae pedwar math o ongl. There are four types of angles.

Ongl sgwâr:
chwarter tro (90°)

Right angle:
a quarter turn (90°)

Ongl lem:
llai na chwarter tro (Llai na 90°)

Acute angle:
less than a quarter turn (less than 90°)

Ongl Atblyg: mwy na hanner tro
(mwy na 180° ond llai na 360°)

Reflex: more than half a
turn (more than 180°
but less than 360°)

Ongl Aflem: rhwng
chwarter tro a hanner tro
(mwy na 90° ond llai na 180°)

Obtuse: between a quarter and a half
turn (more than 90° but less than 180°)

* Mae tro cyfan o amgylch pwynt yn 360°. A complete rotation around a point is 360°.

60°

60°   60°

Isosgeles: 2 ochr hafal a 2 ongl hafal

Isosceles: 2 equal sides and 2 equal angles

Hafalochrog:
3 ochr hafal a 3 ongl hafal

Equilateral: 3 equal sides
and 3 equal angles

Anghyfochrog: dim ochrau hafal,
dim onglau hafal

Scalene: no equal sides and no equal angles

90°

Triongl ongl sgwâr: un ongl sgwâr

Right-angled: one right-angle

Os ydych yn gwybod maint dwy ongl, e.e. 70°
ac 80°, adiwch y ddwy at ei gilydd ac yna eu tynnu o
180° er mwyn cael yr ongl sydd ar goll. 180–150 = 30°

GET IT? If you are given two angles, say 70° and 80°,
you add these together and subtract them from 180
to find the missing angle. 180-150 = 30°

Os ydych yn adio'r onglau tu mewn
i driongl at ei gilydd fe gewch chi
180° bob tro.

If you add up the angles in a triangle
you always get 180°.

Darganfyddwch yr onglau sydd ar goll yn y trionglau hyn.

Work out the missing angles in these triangles.

Labelwch yr onglau: ongl lem, ongl sgwâr, ongl aflem neu ongl atblyg.

Label these angles: acute, right-angle, obtuse or reflex.

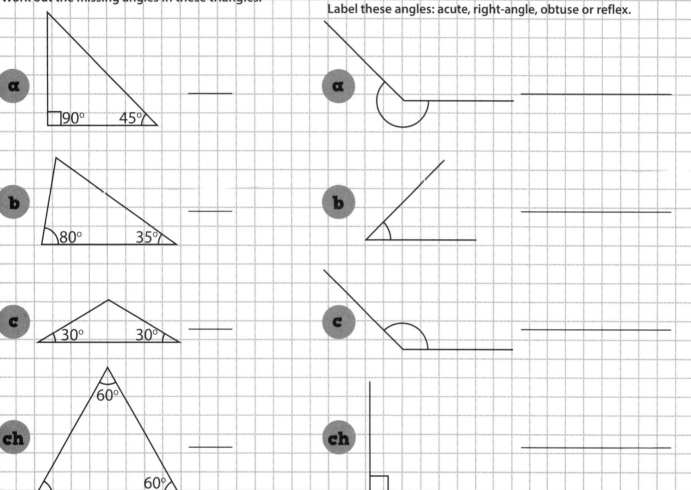

a 90° 45° _____

b 80° 35° _____

c 30° 30° _____

ch 60° 60° _____

a _____

b _____

c _____

ch _____

Darganfyddwch yr onglau. Find the angles.

a. 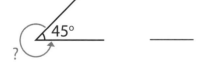 45° ? _____

b. 180° ? _____

c.  90° ? _____

ch. 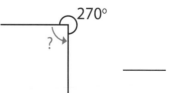 270° ? _____

Cyfesurynnau

Coordinates

Cyfesurynnau ydy'r rhifau rydym yn eu defnyddio i farcio pwynt ar graff neu ar fap.

Coordinates are the numbers we use to mark a point on a graph or map.

Wrth ddarllen cyfesurynnau, cofiwch 'fynd ar hyd y coridor ac i fyny (neu i lawr) y grisiau'. When reading coordinates, remember to 'go along the corridor and up (or down) the stairs'.

Plotiwch y safleoedd hyn ar y graff.

Plot these positions on the graph.

a. (-2, 2)   **b.** (-4, 4)   **c.** (2, 2)   **ch.** (4, 4)

d. (-2, -2)   **dd.** (-4, -4)   **e.** (2, -2)   **f.** (4, -4)

FFAITH

Mae echelin x yn cael ei darllen cyn echelin y bob tro.

GET IT?

Another way to remember how to read coordinates: x comes before y in the alphabet, so read the x axis first then the y axis.

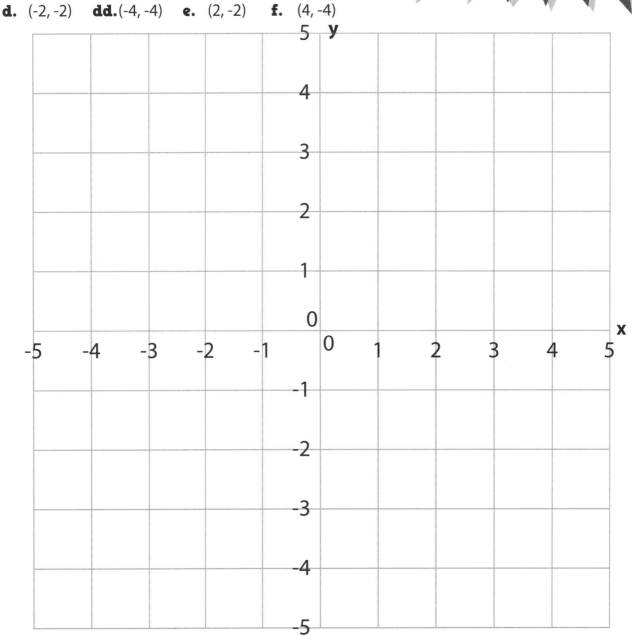

Ysgrifennwch gyfesurynnau'r asgwrn sydd wedi cael ei gladdu:

Write the coordinates of the buried bone: (_____ , _____)

Lluniwch asgwrn arall ar y map ac ysgrifennwch ei gyfesurynnau yma:

Draw another bone on the map and write its coordinates here: (_____ , _____)

Plotiwch y cyfesurynnau hyn er mwyn darganfod y siâp cudd.

Plot these coordinates to find a hidden shape.

(-4, -4) (-4, 2) (-2, 4) (-2, -2)

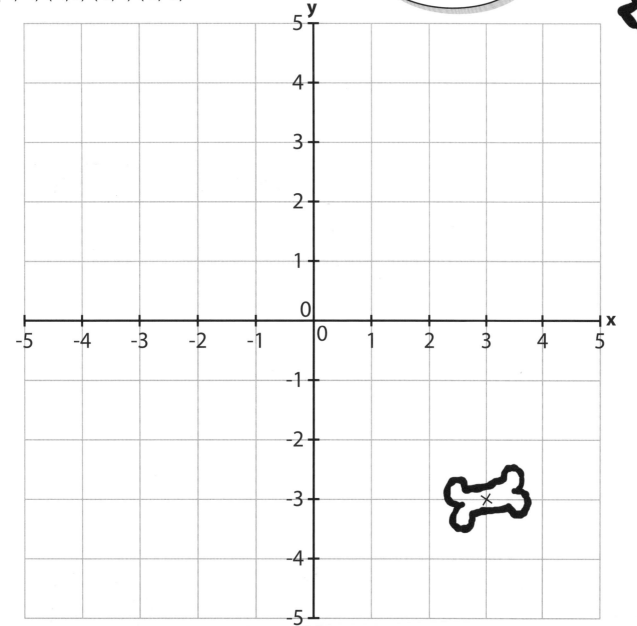

Lluosi hir

Long multiplication

Dyma ddau ddull o wneud lluosi hir. Here are two methods of doing long multiplication.

Er enghraifft:
For example:

C	D	U
H	T	U

```
    2 4 2
  x   1 3
  ─────────
  2 4 2 0  (x10)

    7 2 6  (x3)
  ─────────
  3 1 4 6
```

Dull Grid:
Grid method:

X	200	40	2	Cyfanswm Total
10	2000	400	20	= 2420
3	600	120	6	= 726

=3146

Ewch ati i ddod o hyd i'r ateb drwy ddefnyddio'r ddau ddull.
Find the answer to this multiplication using both methods.

C	D	U
H	T	U

```
    3 1 8
  x   2 5
  ─────────
           (x20)

           (x5)
  ─────────
```

X	300	10	8	Cyfanswm Total
20				=
5				=
				=

Dylai'r ddau ddull roi'r un ateb i chi. Pa un oedd hawsaf?

Both methods should have given you the same answer. Which did you find the easiest?

Darganfyddwch yr atebion i'r lluosiadau hyn drwy ddefnyddio'r ddau ddull.

Find the answers to these multiplications using both methods.

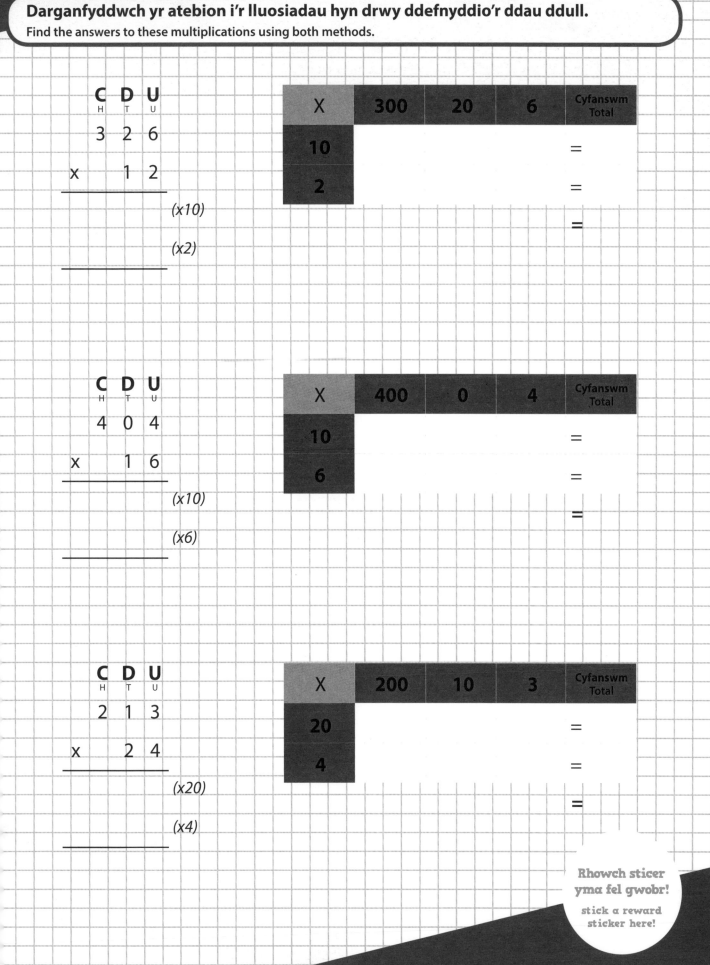

C D U
H T U

3 2 6

x   1 2

_____

(x10)

(x2)

_____

X	300	20	6	Cyfanswm Total
10				=
2				=
				=

C D U
H T U

4 0 4

x   1 6

_____

(x10)

(x6)

_____

X	400	0	4	Cyfanswm Total
10				=
6				=
				=

C D U
H T U

2 1 3

x   2 4

_____

(x20)

(x4)

_____

X	200	10	3	Cyfanswm Total
20				=
4				=
				=

Rhannu hir

Long division

Wrth rannu un rhif gyda rhif arall, e.e. 28 rhannu â 7, mae fel darganfod sawl 7 sydd mewn 28. Yr ateb ydy 4 oherwydd 4 x 7 = 28.

When you divide one number by another number, eg 28 divided by 7, it is like finding out how many 7s there are in 28. The answer is 4 because 4 x 7 = 28.

Edrychwch ar yr enghraifft hon: Look at this example:

$$7\overline{)\,2\ \ 8\ \ 7}$$

Rydym yn gwybod bod 28 ÷ 7 = 4 felly mae 280 ÷ 7 = 40
We know that 28 ÷ 7 = 4 so 280 ÷ 7 = 40

Gan fod 7 ÷ 7 = 1
Then 7 ÷ 7 = 1

Yr ateb = 41
The answer = 41

Gallwn ei ysgrifennu fel hyn:
We can write it down like this:

$$\begin{array}{r} 4\ \ 1 \\ 7\overline{)\,2\ \ 8\ \ 7} \\ -\ 2\ \ 8\ \ 0 \\ \hline 7 \end{array}$$

Nawr, edrychwch ar yr enghraifft hon:
Now look at this example:

$$\begin{array}{r} 5\ \ 0\quad g\,2 \\ 15\overline{)\,7\ \ 5\ \ 2} \\ -\ 7\ \ 5\ \ 0 \\ \hline 2 \end{array}$$

g = gweddill
remainder

Gwnewch y problemau rhannu hyn er mwyn cael ymarfer.
Try these divisions for practice.

FFAITH GET IT?
Mae 75 ÷ 15 = 5 felly mae 750 ÷ 15 = 50.

a 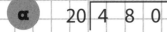 $20\overline{)\,4\ \ 8\ \ 0}$

b $22\overline{)\,6\ \ 6\ \ 7}$

c 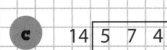 $14\overline{)\,5\ \ 7\ \ 4}$

ch 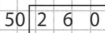 $50\overline{)\,2\ \ 6\ \ 0}$

24

Fel y cam cyntaf ceisiwch amcangyfrif beth ydy'r atebion cyn dechrau.
Always try to estimate your answers first.

Er enghraifft: For example:

Rhannwch £2.04 rhwng 4 plentyn. Share £2.04 between 4 children.

Rydych yn gwybod bod £2 ÷ 4 = 50c felly gallwch amcangyfrif y bydd £2.04 ÷ 4 ychydig yn fwy na 50c. You know that £2 ÷ 4 = 50p so you can estimate that £2.04 ÷ 4 will be a little bit more than 50p.

Nawr gwnewch y gwaith rhannu i ddarganfod yr ateb...

Now do the division to find out the answer …

```
      5 1
  4 | 2 0 4
    - 2 0 0
          4     Ateb: £2.04 ÷ 4 = 51c
```

Datryswch y problemau rhannu hyn.
Work out these division problems.

Amcangyfrifwch eich atebion i ddechrau.
Estimate your answers first.

1. Rhannwch £5.25 rhwng 5 plentyn.
Share £5.25 by 5 children.

2. Rhannwch 568 ag 8.
Divide 568 by 8.

3. 901 ÷ 4

4. Os ydy Alys yn rhedeg 5 cilometr y dydd, pa mor hir fyddai hi'n ei gymryd i redeg 125 cilometr?
If Alice can run 5 kilometres per day, how long would it take her to run 125 kilometres?

5. Os ydy Dec yn bwyta 156 asgwrn mewn blwyddyn, faint o esgyrn mae o'n ei fwyta mewn wythnos?
If Dec eats 156 bones per year, how many bones does he eat per week?

6. Os ydy Cati yn cysgu 147 awr yr wythnos, faint o oriau mae hi'n cysgu bob dydd?
If Cati sleeps 147 hours per week, how many hours does she sleep per day?

Gwnewch eich gwaith bras yma...
Do your working out here…

Nawr ceisiwch rannu rhifau hirach! Ewch ati i ymarfer symiau rhannu hirach!
Now try dividing some longer numbers! Practise some divisions of your own.

Er enghraifft:
For example:

```
           2 4 1
   12 | 2 8 9 2
      -  2 4
            4 9
          - 4 8
              1 2
```

Mae 28 wedi'i rannu â 12 = 2 g 4
28 divided by 12 = 2 r 4

Mae 49 wedi'i rannu â 12 = 4 g 1
49 divided by 12 = 4 r 1

Mae 12 wedi'i rannu â 12 = 1
12 divided by 12 = 1

Degolion

Decimals

Mae **degolyn** yn rhan o rif cyfan. Mae'n debyg i ffracsiwn.

A **decimal** is part of a whole number. It is similar to a fraction.

Mae'r rhif o flaen y pwynt degol yn rhif cyfan. Mae'r rhif ar ôl y pwynt degol yn rhan o rif cyfan.

The number before the decimal point is a whole number. The number after the decimal point is a part of a whole number.

Darllenwch y degolion ar y llinell rif isod. Read the decimals on the number line below.

Mae'r rhain yn ddegfedau o rif cyfan. These are tenths of a whole number.

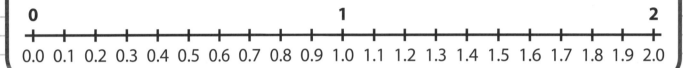

Tynnwch gylch o amgylch y degolyn mwyaf ym mhob pâr.

Circle the decimal that is bigger in each pair.

a. 0.2 neu 2.0

b. 1.2 neu 2.1

c. 2.4 neu 2.9

ch. 3.6 neu 0.6

FFAITH GET IT?

$0.1 = \frac{1}{10}$

$0.2 = \frac{2}{10}$ (neu $\frac{1}{5}$)

$0.3 = \frac{3}{10}$

$0.4 = \frac{4}{10}$ (neu $\frac{2}{5}$)

$0.5 = \frac{5}{10}$ (neu $\frac{1}{2}$)

Adiwch neu dynnwch y degolion hyn drwy ddefnyddio'r un dull sy'n gweithio gydag unrhyw rif arall.

Add or subtract these decimals just as you would do with any numbers.

Rhowch y pwynt degol yn eich ateb.

Put the decimal point in your answer.

a
```
  0 . 6
+ 0 . 7
───────
```

b
```
  1 . 5
+ 1 . 5
───────
```

c
```
  2 . 8
- 1 . 9
───────
```

ch
```
  3 . 5 0
- 1 . 7 5
─────────
```

Rydym yn defnyddio degolion gydag arian.
We use decimals in money.

Er enghraifft: For example:

Gallwn ysgrifennu 1c fel 0.01
 1p can be written as 0.01

Gallwn ysgrifennu 5c fel 0.05
 5p can be written as 0.05

Gallwn ysgrifennu 10c fel 0.10
 10p can be written as 0.10

Gallwn ysgrifennu 50c fel 0.50
 50p can be written as 0.50

Gallwn ysgrifennu £1.50 fel 1.50
 £1.50 can be written as 1.50

Lluoswch a rhannwch y degolion hyn. Multiply and divide these decimals.

Er enghraifft:
For example:

```
£   2 . 5 0                    3 . 2 0
x       6            4 | £ 1 2 . 8 0
─────────────
£ 1 2 . 0 0   (£2 x 6)
£   3 . 0 0   (50p x 6)
─────────────
£ 1 5 . 0 0
```

a. £2.25 x 4

b. £25.05 ÷ 5

c. £16.20 x 2

ch. £28.21 ÷ 7

d. Rhannwch £14.40 rhwng 6 phlentyn.
 Share £14.40 by 6 children

dd. 5 o ddarnau 50c
 5 lots of 50p

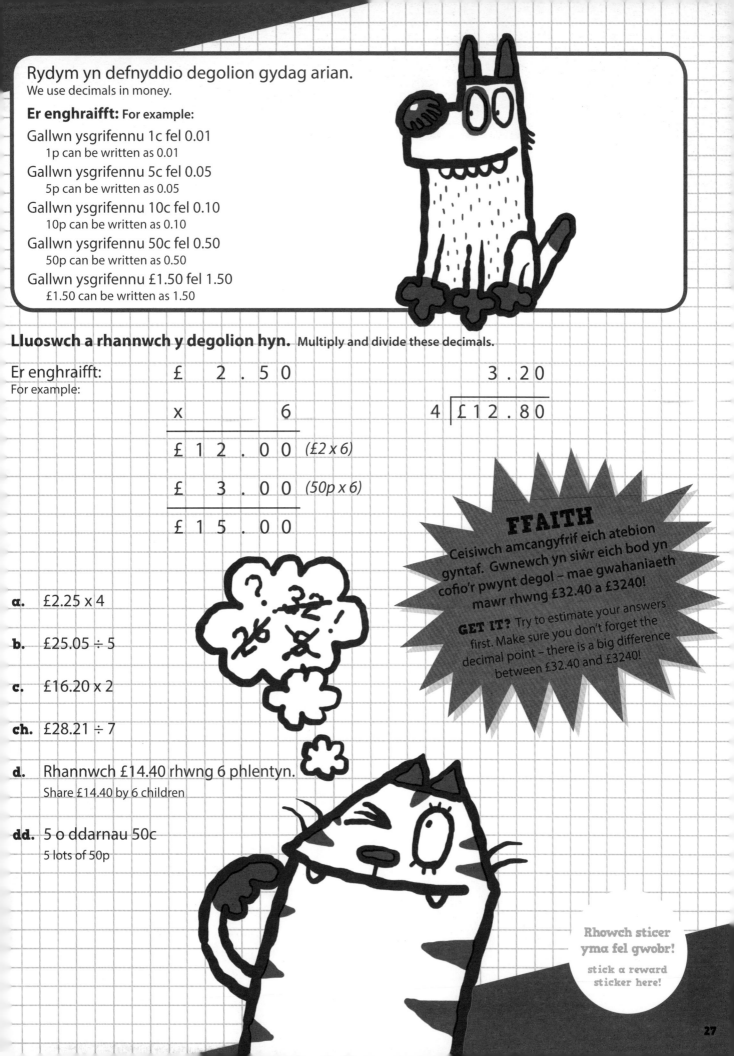

FFAITH

Ceisiwch amcangyfrif eich atebion gyntaf. Gwnewch yn siŵr eich bod yn cofio'r pwynt degol – mae gwahaniaeth mawr rhwng £32.40 a £3240!

GET IT? Try to estimate your answers first. Make sure you don't forget the decimal point – there is a big difference between £32.40 and £3240!

Mesurau

Measures

a. Mae Cati yn gallu neidio 2.5 m. Pa mor uchel ydy hynny mewn centimetrau?

Cati can jump 2.5 m. How high is that in centimetres? _____ cm

b. Mae Dec yn gallu rhedeg 5.4 km heb stopio. Pa mor bell ydy hynny mewn metrau?

Dec can run 5.4 km without stopping. How far is that in metres? _____ m

c. Chwarter litr ydy _____ ml

A quarter of a litre = _____ ml

ch. 10 mm = _____ cm

d. Hanner cilogram = _____ g

Half a kilogram =

dd. 1.50 kg = _____ g

e. 4.9 m = _____ cm

f. 3.2 litr = _____ mililitr

3.2 litres = _____ millilitres

Aaa!

FFAITH

Mae 2.5 yr un fath â 2.50
Mae 5.4 yr un fath â 5.40
Mae 3.2 yr un fath â 3.20

GET IT?

2.5 is the same as 2.50
5.4 is the same as 5.40
3.2 is the same as 3.20

a. Pa un ydy'r mwyaf: 1000 ml neu 1 litr?

Which is more: 1000 ml or 1 litre?

_____

b. Beth ydy 25kg mewn gramau?

What is 25 kg as grams?

_____ g

c. Mae tanc pysgod yn dal 20 litr o ddŵr. Faint o fililitrau ydy hynny?

A fish tank holds 20 litres of water. How many millilitres is that?

_____ ml

ch. Mae Dec yn pwyso 10 kg. Faint ydy hynny mewn gramau?

Dec weighs 10 kg. How much is that in grams?

_____ g

d. Mae powlen Cati yn dal 250 ml o laeth.
Faint o fowlenni gellir eu llenwi o botel laeth 1 litr?

Cati's bowl holds 250 ml of milk. How many can be filled from 1 litre of milk?

_____ powlen

dd. Ysgrifennwch 1200 g fel cilogramau.

Write 1200 g as kilograms.

_____ kg

e. Newidiwch 2.5 cm i mewn i filimetrau.

Convert 2.5 cm to millimetres.

_____ mm

f. Pa un ydy'r hiraf: 300 mm neu 3 cm?

Which is longer: 300 mm or 3 cm?

_____

Dal!

Symud y degolyn

Moving the decimal

Wrth luosi degolyn â 10 rydym yn symud y pwynt degol **un** lle i'r **dde**. Wrth luosi â 100 rydym yn ei symud **dau** le. Wrth luosi â 1000 rydym yn ei symud **tri** lle.

When we multiply a decimal number by 10 we move the decimal point **one** place to the **right**. When we multiply by 100 we move it **two** places. When we multiply by 1000 we move it **three** places.

Er enghraifft: For example:

$4.9 \times 10 = 49.00$

$4.9 \times 100 = 490.00$

$4.9 \times 1000 = 4900.00$

Gallwn anghofio am bob sero ar ôl y pwynt degol er mwyn symleiddio'r ateb.

We can leave out the zeros after the decimal point to simplify the number.

Rydym yn gwneud i'r gwrthwyneb (rydym yn symud y pwynt degol i'r **chwith**) wrth rannu degolion.

We do the opposite (we move the decimal point to the **left**) when we divide decimal numbers.

Er enghraifft: For example:

$4.9 \div 10 = 0.49$

$4.9 \div 100 = 0.049$

$4.9 \div 1000 = 0.0049$

Beth ydy pwynt degolion?
What's the point of decimals?

Wna i ddweud beth ydy'r pwynt! Pa un fyddai orau i ti: £10.50 x 10 neu £0.50 x 1000?

I'll tell you what the point is! Which would you rather have: £10.50 x 10 or £0.50 x 1000?

Ceisiwch ddatrys y rhain:
Try these:

a. $1.35 \times 10 =$ _____

b. $1.35 \times 100 =$ _____

c. $1.35 \times 1000 =$ _____

ch. $1.35 \div 10 =$ _____

d. $1.35 \div 100 =$ _____

dd. $1.35 \div 1000 =$ _____

FFAITH
Os nad oes gennyt ddigid ar ôl i'w ddefnyddio, defnyddia sero i lenwi'r bwlch.

GET IT?
If you run out of digits use zero as a place holder.

Atebion

Answers

Gwerth rhifau / Number values

a. pum deg tri / fifty-three
b. chwe chant a phum deg tri / six hundred and fifty-three
c. mil, chwe chant a phum deg tri
/ one thousand, six hundred and fifty-three
ch. dau ddeg un mil, chwe chant a phum deg tri
/ twenty-one thousand, six hundred and fifty-three
d. saith cant a dau ddeg un mil, chwe chant a pum deg tri
/ seven hundred and twenty-one thousand, six hundred and fifty-three

a. 2304
b. 9180
c. 11,376
ch. 50,604
d. 201,890

a. 4201, 5345, 6032, 7436
b. 5386, 5642, 5740, 5900
c. 6001, 6201, 6389, 6945

Degolion / Decimals
a. 0.01, 0.59, 0.73, 0.90
b. 0.05, 0.09, 0.10, 0.21

Rhifau negatif / Negative numbers
−10 −9 −8 −7 −6 −5 −4 −3 −2 −1 0 1 2 3 4 5 6 7 8 9 10

a. −10, −7, −3, −1, 9, 10
b. −7, −2, −1, 4, 7, 9
c. −8, −4, −1, 0, 1, 5

Adio a thynnu / Addition and subtraction

Adio / Add		Tynnu / Subtract	
a.	908	**a.**	289
b.	890	**b.**	448
c.	3050	**c.**	563
ch.	3627	**ch.**	1094
d.	7299	**d.**	2502
dd.	6510	**dd.**	2829

Siapiau / Shapes
Cymesuredd / Symmetry
Nid oes gan y paralelogram linellau cymesuredd!
The parallelogram has no lines of symmetry!

1. ✔
2. ✔
3. ✔
4. ✔
5. ✘

Siâp Shape	Nifer y wynebau Number of faces	Nifer yr ymylon Number of edges	Nifer y corneli *(Fertigau)* Number of corners *(vertices)*
Ciwb Cube	6	12	8
Pyramid sylfaen sgwâr Square-based pyramid	5	8	5
Prism triongl Triangular prism	5	9	6
Silindr Cylinder	3	2	0

Lluosrifau a ffactorau / Multiples and factors
Cyfrif fesul 3s / Count in 3s: 3, 6, 9, 12, 15, 18, 21, 24, 27, 30
Cyfrif fesul 4s / Count in 4s: 4, 8, 12, 16, 20, 24, 28, 32, 36, 40
Cyfrif fesul 6s / Count in 6s: 6, 12, 18, 24, 30, 36, 42, 48, 54, 60
Cyfrif fesul 8s / Count in 8s: 8, 16, 24, 32, 40, 48, 56, 64, 72, 80

Lluosrifau / Multiples of 3: 36, 9, 30, 27, 21
Lluosrifau / Multiples of 6: 36, 30
Lluosrifau / Multiples of 4: 24, 40, 80, 28, 36
Lluosrifau / Multiples of 8: 24, 40, 80

Ffactorau o / Factors of 36	Ffactorau o / Factors of 24
1 x 36	1 x 24
2 x 18	2 x 12
3 x 12	3 x 8
4 x 9	4 x 6
6 x 6	

Rhifau cysefin / Prime numbers: 11, 5, 13, 7

Rhifau coll / Missing numbers
$3 \times 2 = 6$
$7 \times 7 = 49$
$4 \times 7 = 28$
$15 \times 2 = 30$
$5 \times 7 = 35$

Rhannu a lluosi / Division and multiplication

X	7	5	6	2
3	21	15	18	6
6	42	30	36	12
8	56	40	48	16
4	28	20	24	8

$5 \times 6 = 30$
$30 \div 6 = 5$
$30 \div 5 = 6$

$7 \times 4 = 28$
$28 \div 4 = 7$
$28 \div 7 = 4$

$5 \times 11 = 55$
$55 \div 11 = 5$
$55 \div 5 = 11$

$8 \times 6 = 48$
$48 \div 6 = 8$
$48 \div 8 = 6$

Ailadrodd tynnu rhif / Repeated subtraction
$30 \div 5 = [6]$
$30 - 5 - 5 - 5 - 5 - 5 - 5$

$70 \div 10 = [7]$
$70 - 10 - 10 - 10 - 10 - 10 - 10 - 10$

$56 \div 7 = [8]$
$56 - 7 - 7 - 7 - 7 - 7 - 7 - 7 - 7$

Tynnu ar linell rif / Subtraction on a number line
$15 \div 3 = [5]$ $15 \rightarrow 12 \rightarrow 9 \rightarrow 6 \rightarrow 3 \rightarrow 0$

$20 \div 5 = [4]$ $20 \rightarrow 15 \rightarrow 10 \rightarrow 5 \rightarrow 0$

Perimedr ac arwynebedd / Perimeter and area
a. $4 + 3 + 5 = 12$ cm
b. $6 + 6 + 3 + 3 = 18$ cm
c. $6 + 6 + 3 + 3 + 3 + 3 = 24$ cm
ch. $4 + 4 + 4 + 1 + 2 + 2 + 2 + 1 = 20$ cm

a. 12 cm
b. 15 cm
c. 18 cm

Arwynebedd / Area

a. $15 \times 5 = 75 \text{ cm}^2$
b. $20 \times 8 = 160 \text{ cm}^2$
c. $10 \times 5 = 50 \text{ cm}^2$
   $5 \times 5 = 25 \text{ cm}^2$
   $50 + 25 = 75 \text{ cm}^2$
ch. $8 \times 4 = 32 \text{ cm}^2$
   $2 \times 4 = 8 \text{ cm}^2$
   $2 \times 4 = 8 \text{ cm}^2$
   $32 + 8 + 8 = 48 \text{ cm}^2$

Arwynebedd y petryal / Area of the rectangle: $3 \times 2 = 6 \text{ cm}^2$
Arwynebedd y triongl / Area of the triangle: $6 \div 2 = 3 \text{ cm}^2$

Ffracsiynau a chanrannau / Fractions and percentages

a. 8 rhan o 16 rhan = ⁸⁄₁₆ (neu ½)
b. 4 rhan o 16 rhan = ⁴⁄₁₆ (neu ¼)
c. 3 rhan o 8 rhan = ⅜

a. ⁴⁄₁₀ = ⅖   b. ³⁄₆ = ½   c. ⁸⁄₁₆ = ½
ch. ⁴⁄₁₆ = ¼   d. ⁵⁄₁₀ = ½   dd. ²⁄₁₀ = ⅕
e. ³⁄₁₂ = ¼   f. ⁴⁄₁₂ = ⅓

a. ½ o 50 = 25   b. 50% o 30 = 15
c. ¼ o 4 = 1   ch. 25% o 8 = 2
d. ⅕ o £2.50 = 50c   dd. 20% o £5 = £1
e. ⅖ o 25c = 10c   f. 40% o 30c = 12c
ff. 10% o £4 = 40c   g. ¹⁄₁₀ o £8 = 80c

Ffracsiynau / Fractions

⁹⁄₁₂ (neu ¾) wedi'i liwio
Mae ¾ (neu ⁹⁄₁₂) yn fwy na ⅔ (neu ⁸⁄₁₂)

a. Mae ⅝ yn fwy na ¼
b. Mae ¾ yn fwy na ⅜
c. Mae ⁴⁄₆ yn fwy na ⁴⁄₁₂
ch. Mae ⅔ (neu ⁸⁄₁₂) yn fwy na ⁵⁄₁₂
d. Mae ⁴⁄₆ (neu ⅔) yn fwy na ⅓

Ffracsiynau llinell rif / Number line fractions

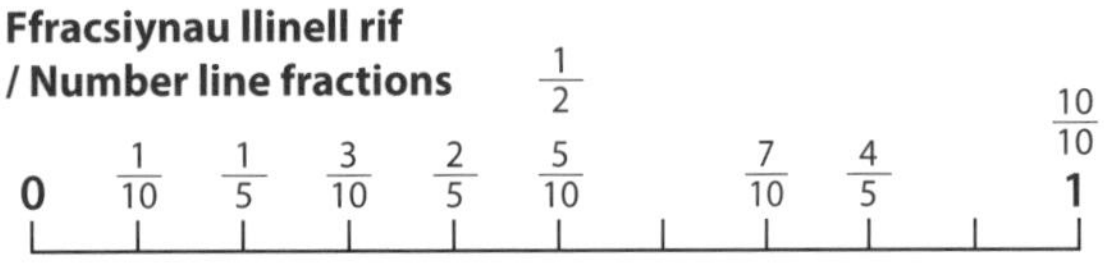

⁴⁄₆ = ⅔
³⁄₁₂ = ¼
³⁄₉ = ⅓
²⁄₄ = ½

Ffracsiynau o'r lleiaf i'r mwyaf / Smallest to biggest fraction:

¼, ⁴⁄₁₀, ½, ¾

Onglau a thrionglau / Angles and triangles

a. 90°, 45°, 45°   a. ongl atblyg   a. 45°, 315°
b. 80°, 35°, 65°   b. ongl lem   b. 180°, 180°
c. 30°, 30°, 120°   c. ongl aflem   c. 90°, 270°
ch. 60°, 60°, 60°   ch. ongl sgwâr   ch. 270°, 90°

Cyfesurynnau / Coordinates

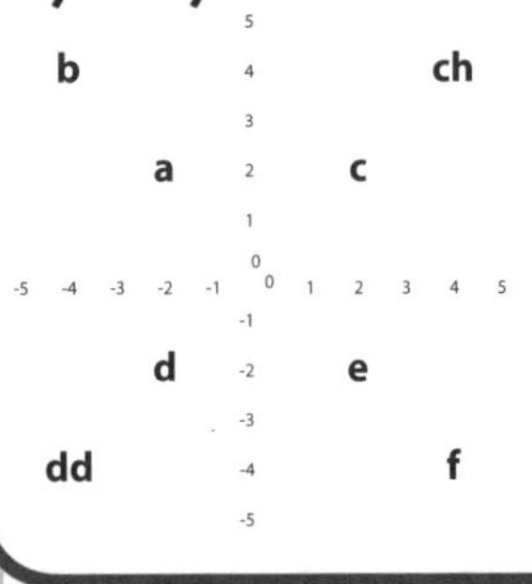

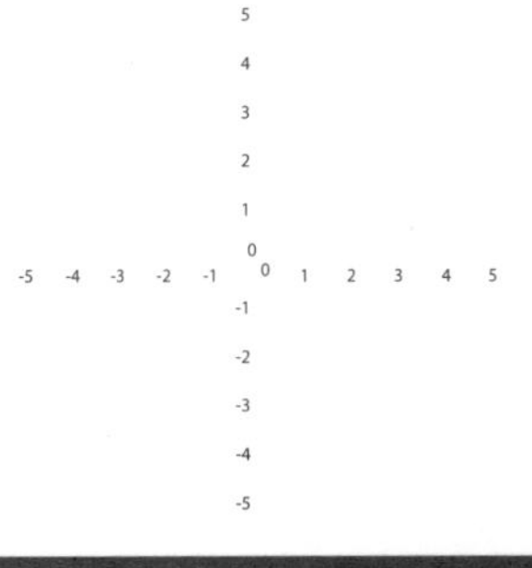

Y cyfesurynnau ar gyfer yr asgwrn ydy: [3, –3].
Mae'r cyfesurynnau [–4, –4] [–4, 2] [–2, 4] [–2, –2] yn llunio paralelogram.

Lluosi hir / Long multiplication

C D U
3 1 8
x   2 5
6 3 6 0 (x20)
1 5 9 0 (x5)
7 9 5 0

X	300	10	8	Cyfanswm Total
20	6000	200	160	= 6360
5	1500	50	40	=1590
				=7950

C D U
3 2 6
x   1 2
3 2 6 0 (x10)
6 5 2 (x2)
3 9 1 2

X	300	20	6	Cyfanswm Total
10	3000	200	60	= 3260
2	600	40	12	= 652
				=3912

C D U
4 0 4
x   1 6
4 0 4 0 (x10)
2 4 2 4 (x6)
6 4 6 4

X	400	0	4	Cyfanswm Total
10	4000	0	40	= 4040
6	2400	0	24	=2424
				=6464

C D U
2 1 3
x   2 4
4 2 6 0 (x20)
8 5 2 (x4)
5 1 1 2

X	200	10	3	Cyfanswm Total
20	4000	200	60	= 4260
4	800	40	12	= 852
				=5112

Rhannu hir / Long division

a. 24   1. £1.05 yr un   5. 3 asgwrn yr wythnos
b. 30 g 7   2. 71   6. 21 awr y dydd
c. 41   3. 225 g 1
ch. 5 g 10   4. 25 diwrnod

Degolion / Decimals

a. 2.0   a. 1.3   a. £2.25 x 4 = £9.00   d. £14.40 ÷ 6 = £2.40
b. 2.1   b. 3.0   b. £25.05 ÷ 5 = £5.01   dd. 5 x 50c = £2.50
c. 2.9   c. 0.9   c. £16.20 x 2 = £32.40
ch. 3.6   ch. 1.75   ch. £28.21 ÷ 7 = £4.03

Mesurau / Measures

a. 2.5 m = 250 cm   a. Mae 1000 ml ac 1 litr yr un fath.
b. 5.4 km = 5,400 m   b. 25 kg = 25,000 g
c. 1000 ml ÷ 4 = 250 ml   c. 20 litr = 20,000 ml
ch. 10 mm = 1 cm   ch. 10 kg = 10,000 g
d. 1000 g ÷ 2 = 500 g   d. 1000 ml ÷ 250 ml = 4 (powlen)
dd. 1.50 kg = 1,500 g   dd. 1200 g = 1.2 kg
e. 4.9 m = 490 cm   e. 2.5 cm = 25 mm
f. 3.2 litr = 3,200 mililitr   f. Mae 300 mm (neu 30 cm) yn hirach na 3 cm

Symud y degolyn / Moving the decimal

a. 1.35 x 10 = 13.5
b. 1.35 x 100 = 135
c. 1.35 x 1000 = 1350
ch. 1.35 ÷ 10 = 0.135
d. 1.35 ÷ 100 = 0.0135
dd. 1.35 ÷ 1000 = 0.00135